Pour Jenifer

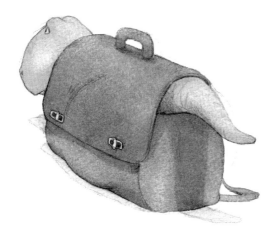

Deuxième édition, septembre 2017

© 2012 Éditions Mijade
18, rue de l'Ouvrage
B-5000 Namur
www.mijade.be

© 2010 Quentin Gréban

ISBN 978-2-87142-819-0
D/2012/3712/57

Imprimé en Belgique

Quentin Gréban

Il y a un
dinosaure
dans mon cartable

Mijade

Moi, j'ai un dinosaure. Pas un jouet, non non…
Un vrai dinosaure.
Il est encore si petit qu'il tient dans ma poche.

Oups! Il n'est déjà plus si petit mon dinosaure.
Il a fait une grosse bêtise :
il a mis ma chambre sens dessus dessous,
et a dévoré ma peluche préférée.
Je ne peux plus le laisser seul à la maison !

Pour l'emmener à l'école, je l'ai caché dans mon cartable.
Catastrophe : ce petit sot a tellement gigoté
qu'il a renversé le pot de peinture !
L'institutrice n'a rien voulu entendre et elle m'a puni.

Rien ne va plus!
Mon dinosaure a tiré les tresses d'une petite fille à la fête foraine.
C'est vrai qu'elle m'avait tiré la langue, mais c'est pas une raison.
J'ai été dire à la petite fille que ce n'était pas de ma faute,
que c'était mon dinosaure qui…
Elle non plus ne m'a pas cru.

Mon dinosaure a encore grandi, et ses dents aussi !
Il a voulu qu'on fasse une bataille de coussins.
On a fait les petits fous et on a bien ri.
Quand Maman est entrée dans ma chambre,
les plumes volaient partout.
Elle n'a pas vu que c'est mon dinosaure
qui a encore une fois exagéré…
et elle m'a grondé !

Mon dinosaure est devenu aussi grand que moi.
Il a voulu poser avec nous sur la photo de classe.

J'ai tenté de l'en empêcher et résultat :
j'ai dégringolé du banc, tout le monde a rigolé.
Le monsieur n'était pas content
et il va falloir recommencer la photo.

Mon dinosaure est tellement grand
qu'il ne rentre plus dans le bus de l'école.
Le temps que je le charge sur le toit,
le bus est parti sans moi!
«Ce n'est pas de ma faute, c'est mon dinosaure…»
Plus personne n'était là pour m'entendre.

Mon dinosaure est ÉNORME.
Il doit désormais dormir dans le jardin.
Mais cette grosse bête a écrasé toutes les plantes de Maman.
C'est évidemment moi qui me suis fait punir.

En revenant de l'école, mon dinosaure a voulu
qu'on joue à cache-cache derrière les immeubles.
Il faut dire qu'il est vraiment très très grand maintenant.
On a tellement bien joué qu'on s'est perdus dans la ville…
Je n'ai pas eu le temps d'expliquer que c'est mon dinosaure…
Maman a rouspété : « Assez, assez, ASSEZ ! »

J'ai décidé de tout dire à Maman, ça ne peut plus durer.
« Maman, j'ai un dinosaure.
Il est très grand.
Et il fait beaucoup, beaucoup de bêtises. »

C'est bizarre, on dirait qu'elle ne me croit pas.
Elle pense que c'est moi qui ai fait tout ça, c'est sûr!

Alors, j'ai eu une solide explication
avec mon dinosaure :
« Ça suffit maintenant !
Tu dois faire attention
où tu mets tes grandes pattes,
me promettre d'être sage,
et te faire tout petit petit. »

Je crois qu'il a compris.

Oh non!
Mon dinosaure m'avait promis d'être sage,
mais en regardant par la fenêtre,
je vois que ce gros gourmand a croqué la lune !
Avant, elle était ronde, j'en suis certain !

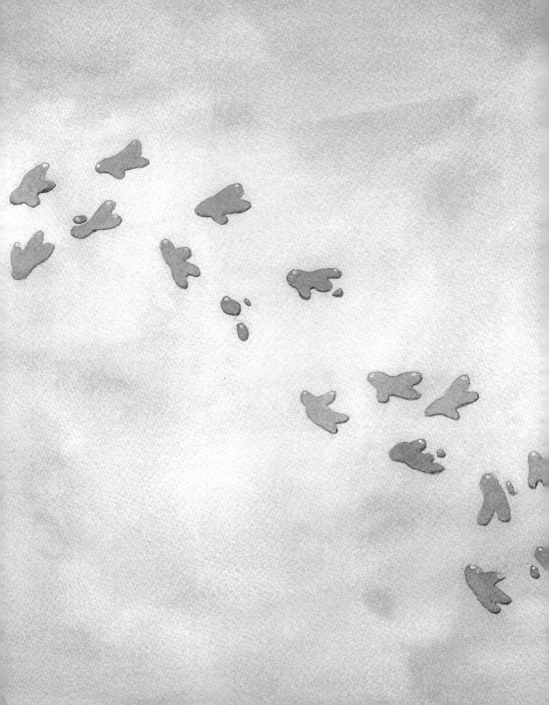